书法字谱集

柳公权玄秘塔碑

陈行健 主编

中原出版传媒集团
大地传媒
河南美术出版社
·郑州·

图书在版编目（CIP）数据

柳公权玄秘塔碑 / 陈行健主编. —郑州：河南美术出版社，2015.8（2019.7 重印）
（书法字谱集）
ISBN 978-7-5401-3220-0

Ⅰ. ①柳… Ⅱ. ①陈… Ⅲ. ①楷书－书法
Ⅳ. ①J292.113.3

中国版本图书馆 CIP 数据核字（2015）第 132803 号

责任编辑：张浩　杜笑谈
责任校对：吴高民
策　　划：墨点字帖
封面设计：墨点字帖

书法字谱集
柳公权玄秘塔碑　　©陈行健　主编
出版发行：河南美术出版社
地　　址：郑州市经五路 66 号
邮　　编：450002
电　　话：0371-65727637
印　　刷：武汉市新华印刷有限责任公司
开　　本：889mm×1194mm　1/16
印　　张：3
版　　次：2015 年 8 月第 1 版　2019 年 7 月第 5 次印刷
定　　价：20.00 元

前 言

柳公权（778—865），字诚悬，京兆华原（今陕西铜川）人。唐代杰出书法家。柳氏一生历经了唐德宗、顺宗、宪宗、穆宗、敬宗、文宗、武宗、宣宗、懿宗九朝，官至太子少师，世称“柳少师”。

《玄秘塔碑》全称《唐故左街僧录内供奉三教谈论引驾大德安国寺上座赐紫大达法师玄秘塔碑铭并序》。碑文的主要内容是宣扬佛教和大达法师端甫受到当时统治者宠遇的情况。碑立于唐会昌元年(841)十二月，裴休撰文，柳公权书并篆额，楷书28行，每行54字，现藏于陕西西安碑林博物馆。

《玄秘塔碑》以用笔“骨力洞达”著称，其点画瘦硬凝练，线条干净利落，点画富于变化，相互呼应；结构内紧外松，紧而不拘，瘦而不散。瘦劲的点画使结字中有明显的通透感，准确地表现了楷书笔法的美感，历来是学习楷书者首选的范本之一。

楷书笔法简述

学习楷书，首先要了解楷书的用笔方法，即笔法。一般而言，楷书所有点画的笔法，都是由三个部分组成：起笔、行笔与收笔。楷书的起笔都必须有一个“逆势”，即按照笔画前行的方向，取一个相反的方向落笔，如横画的笔顺是从左到右，在起笔时就要有一个先向左的行笔动作；竖画的笔顺是从上向下，在起笔时就要有一个先向上行笔的动作，做到“欲右先左，欲下先上”。这样的起笔不仅可以增强线条的力度感，还可以使笔下的线条富于变化而不显得呆板。需要说明的是，这种逆入动作短促迅疾。开始学习时往往“逆”得慢了而达不到预期效果，所以初学者要不断地练习“书空”动作，这是掌握用笔要领行之有效的办法。

起笔：起笔分为“藏锋”与“露锋”两种。所谓“藏锋”，是指笔尖与纸的第一个接触点藏在所写的点画内。“露锋”是指笔尖与纸的第一个接触点在所写的笔画边沿。起笔是“藏”是“露”，没有一定之规，只要用得恰当即可。

行笔：行笔一般都是用中锋。中锋是指在行笔的过程中，笔毫铺开后，笔锋沿笔画中线移动的一种行笔方法。楷书行笔以中锋为主，只有在写长撇画时用侧锋，其原因在于长撇画若用中锋，笔杆会遮挡住书写者的视线。因此，用侧锋时，将笔杆略向右倾斜即可。

收笔：收笔有两种，一种是回锋，顾名思义，即在收笔时要向与行笔方向相反的方向转向回锋一下；另一种是出锋，出锋是指在收笔时沿着笔锋运行的方向，逐渐提笔，缓缓轻收。

楷书的笔法，多提按的变化。提按者，用通俗的说法即轻重，何时提、何时按，要根据不同点画的需要，常见的是，在一个点画中有多处提按的变化。同时，行笔有快慢之分，也就是所谓“迟速”的说法，迟速要掌握分寸，都不能太过，我们主张初学者行笔慢一些为好，所谓“宁迟勿速”，迟则留得住笔，可保持线条的沉着。

书写是一种动作，除了看图示与文字说明外，亲眼目睹善书者书写，可起到事半功倍的作用。如果没有条件观察善书者书写，那就需要仔细观察点画的特征，悉心细加体会。否则，所谓“逆入”“藏锋”“换向”都是空话。

这里述说的是楷书的基本笔法，不同的书家书写的楷书作品，在遵守基本笔法的同时，行笔的过程中都会有自己的书写风格。下面就柳公权楷书《玄秘塔碑》的点画以图示加文字说明的方法作简要介绍。

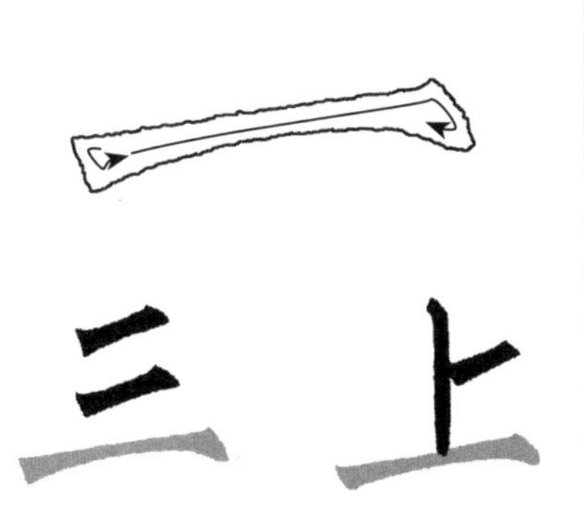

1. 长横

藏锋逆入起笔，换向后由左向右稍呈弧状作中锋行笔，收笔时略向右上提起，迅疾向右下按，随即向左作回锋收笔。

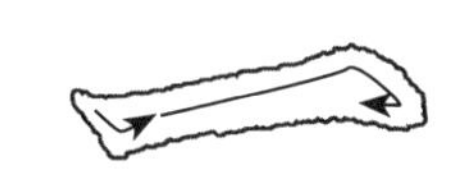

2. 短横

露锋起笔，转向后由左向右上作中锋行笔，收笔时略向右上提笔，再迅疾向右下按，随即向左作回锋收笔。

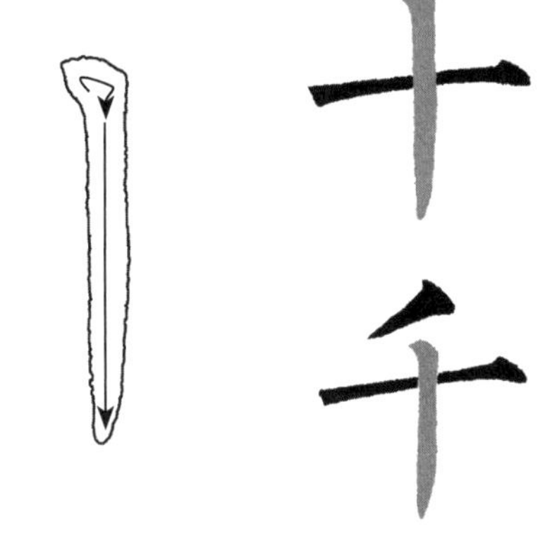

3. 悬针竖

藏锋逆入起笔，落笔后先向右下略按，随即转笔由上向下作中锋行笔，收笔时逐渐提锋收笔。

4. 垂露竖

藏锋逆入起笔，落笔后先向右下略按，随即转笔由上向下作中锋行笔，收笔时向左上（或右上）作回锋收笔。

人
左

5. 斜撇

藏锋逆入起笔，转向后从右上向左下取斜势以侧锋运笔，收笔时笔锋逐渐上提，缓缓以出锋收笔。

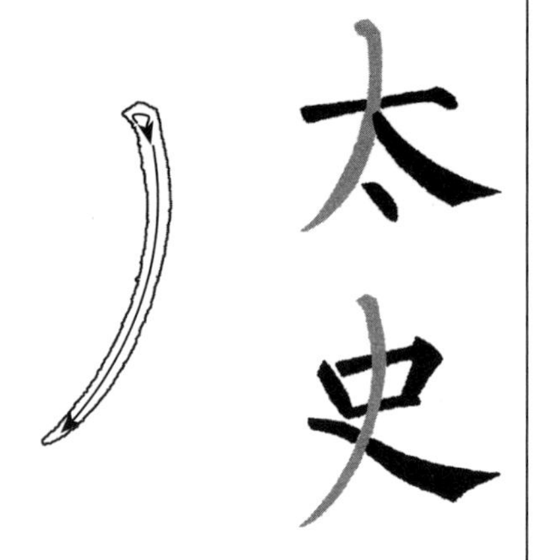

6. 竖撇

藏锋逆入起笔，转向后从上向下取弧状以中锋行笔，收笔时逐渐提转笔锋，缓缓以出锋收笔。

7. 兰叶撇

露锋起笔，从上向左下取斜势，以侧锋行笔，由轻到重，再由重到轻，收笔时提转笔锋，缓缓以出锋收笔。

8. 回钩撇

藏锋逆入起笔，转向后由上到下取弧线状以中锋行笔，收笔时先向左略弯后，迅疾向上回锋，随即向左推出，以出锋收笔。

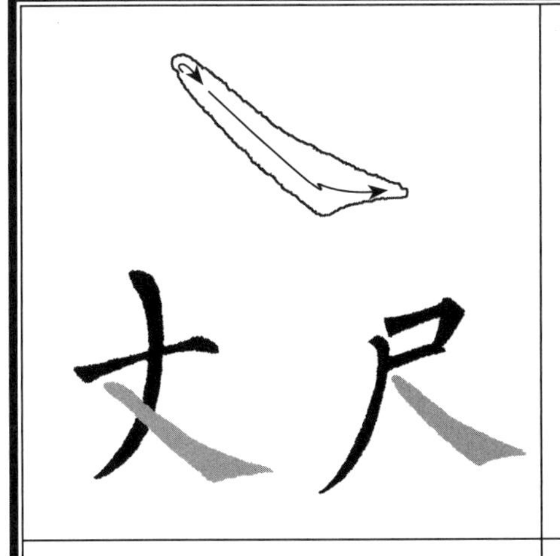

9. 斜捺

藏锋逆入起笔，转向后由左上向右下取斜势以中锋行笔，收笔时稍提笔锋，再沿原势向右以出锋收笔。

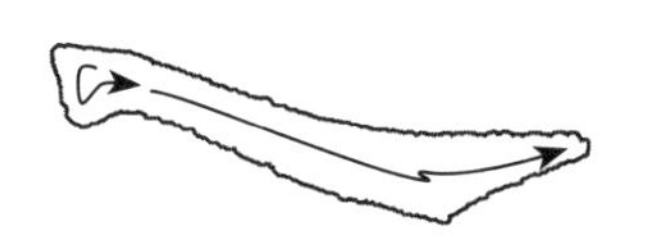

10. 平撇

藏锋逆入起笔，先作短暂竖向行笔，随即转向，从左到右以中锋行笔，行笔时要作两次轻微转向，以体现线条的波折感，收笔时笔锋略向右上提，以出锋收笔。

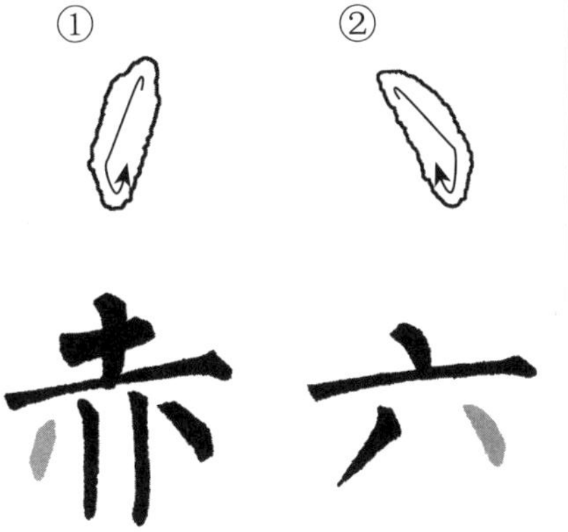

11. 左点、右点

①藏锋逆入起笔，随即转向向左下以中锋行笔，收笔时向右上以回锋收笔。

②右点与左点的笔法相同，只是方向相反。

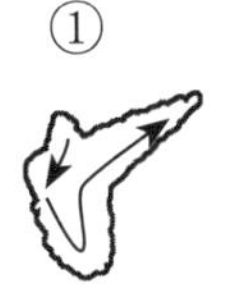

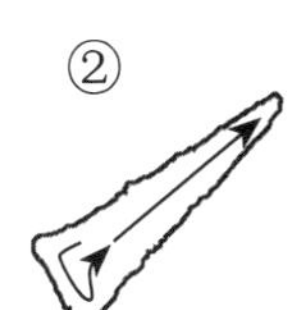

12. 挑点、提

①露锋入笔，向下取弧状以中锋行笔，收笔时先向上提锋，再向右以出锋收笔。

②藏锋逆入起笔，转向后从左下向右上以中锋行笔，收笔时逐渐轻提笔锋而出。

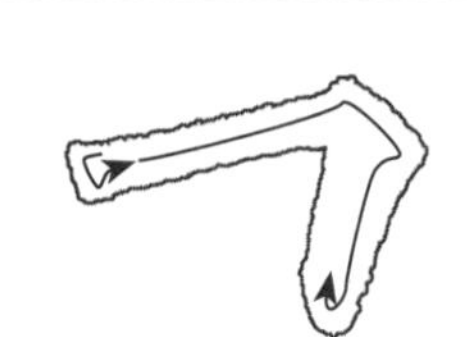

13. 横折

藏锋逆入起笔，向右作横画以中锋行笔，转折处向右上提锋，迅疾向右下稍按，然后转笔向下作竖画以中锋行笔，收笔时略向右收，随即提锋向上作回锋收笔。

14. 竖折

藏锋逆入起笔，向下作竖画行笔，转折处提锋转向，再作横画行笔，收笔时向右下轻按，随后向左回锋收笔。

15. 横钩

藏锋逆入起笔，向右作横画行笔，折处先向右上提笔，迅疾向右下重按，提锋向左上略回，最后向左下以出锋收笔。

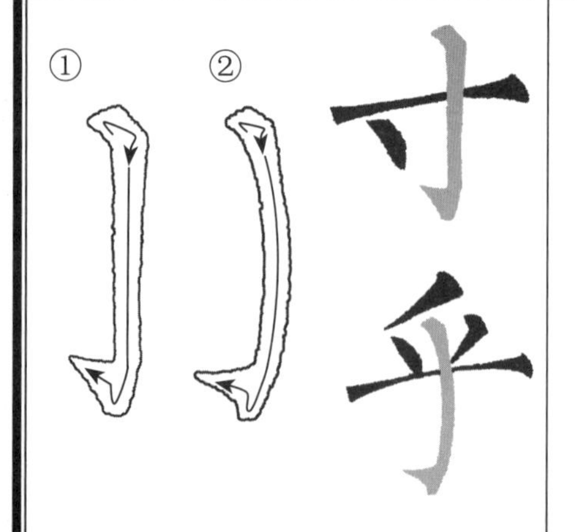

16. 竖钩、弯钩

①藏锋逆入起笔，转向后向下作竖画行笔，收笔时先向上轻提笔锋，再向左以出锋收笔。

②弯钩与竖钩写法基本相同，只是竖画稍带弧度。

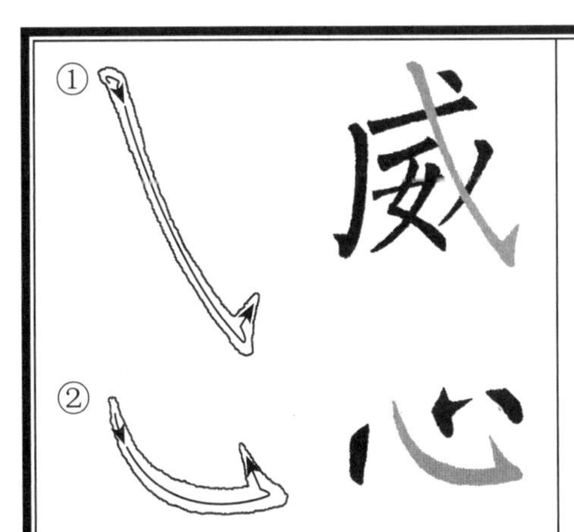

17. 斜钩、卧钩

①藏锋逆入起笔，转向后向右下作弧线状以中锋行笔，收笔时先向上稍回后，立即向右上作出锋收笔。

②露锋起笔，由左向右作弧线状以中锋行笔，收笔时先向左稍回，随即向左上以出锋收笔。

18. 横折钩

藏锋逆入起笔，转向后向右作横画行笔，转折处略向右上轻提，随即向右下稍按，然后转笔以中锋作竖画行笔，收笔时略向上回，然后提锋向上，作出锋收笔。

19. 竖弯钩

藏锋逆入起笔，转向后向下作竖画状行笔，转折处轻提笔锋，由左向右作弧线状横画行笔，收笔时先向左略回，随即向上作出锋收笔。

20. 横斜钩

藏锋逆入起笔，转向后向右作横画行笔，转折时先向右上轻提，迅疾向右下稍按，顺势转笔写弯钩，收笔时先向左稍提，随后立即向上出锋收笔。

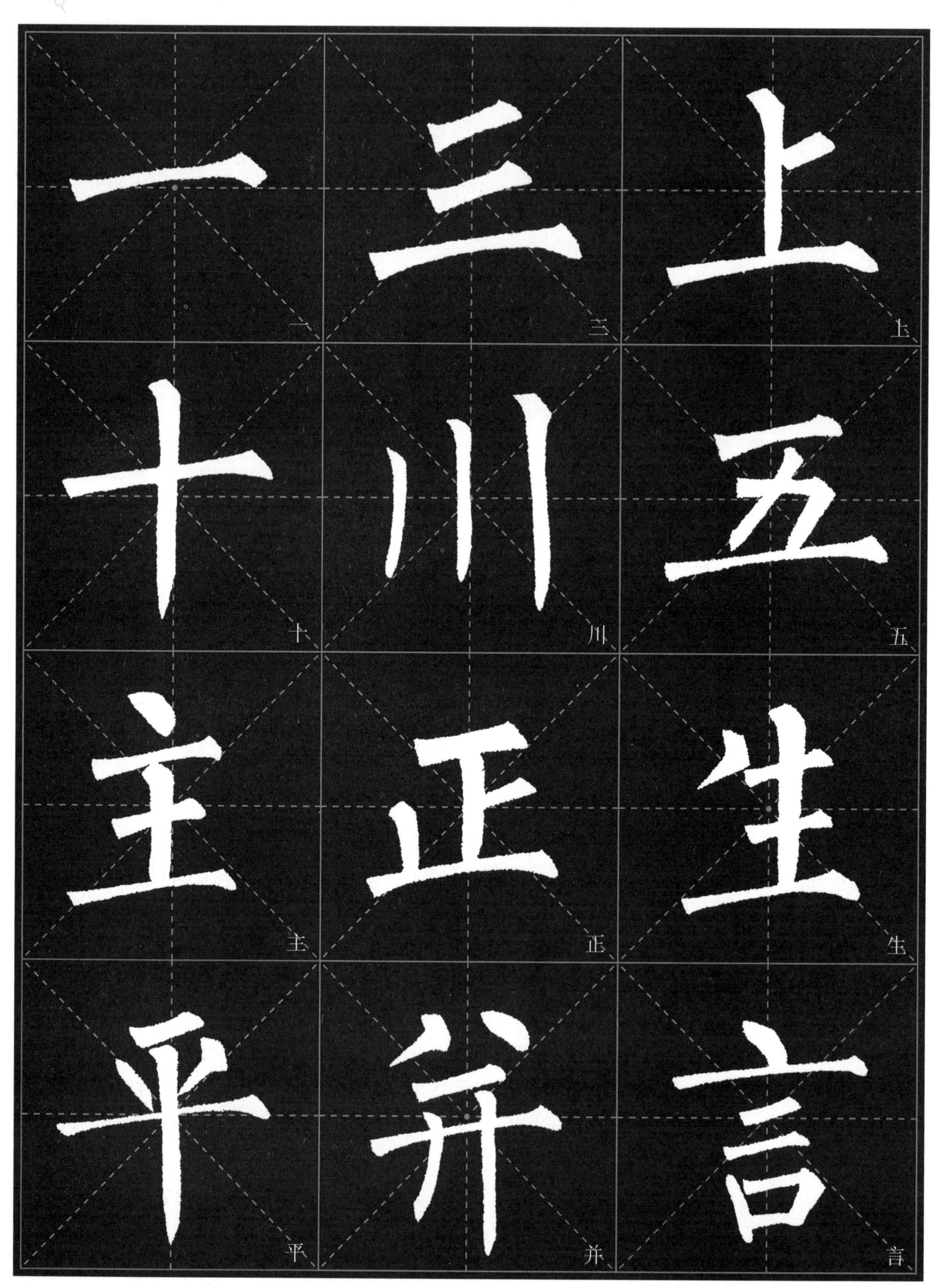
一
三
上
十
川
五
主
正
生
平
并
言

尺
太
友
丈
分
承
名
左
有
月
方
乘

基本笔画：折、钩

仁
伐
休
何
佐
作
徊
依
他
俗
供
徘

偏旁部首：亻

傾
倾
儒
儒
儀
仪
行
行
從
从
待
待
彼
彼
得
得
律
律
後
后
復
复
德
德

偏旁部首：彳、扌

扬
接
捷
横
标
撰
机
林
株
柱
相
棍

偏旁部首：木、忄、女

法
汝
沙
注
流
净
没
涅
浪
浅
深
清

偏旁部首：氵、讠

訖
讫
詔
诏
詞
词
請
请
諸
诸
謂
谓
誘
诱
講
讲
謚
谥
誠
诚
誕
诞
識
识

偏旁部首：礻、衤、方

均
地
坦
塔
场
堙
珠
现
琉
理
璃
瑜

偏旁部首：纟、钅

狂
犯
犹
知
和
君
明
瞻
胁
腹
腊
朝

偏旁部首：火、弓、刂

故
政
教
欲
叹
欤
顶
顺
顾
额
颣
显

偏旁部首：阝、卩、隹、殳

若
茶
荷
菩
莫
苍
梦
蔡
慕
荡
藏
荐

偏旁部首：⺮、山、宀

官
家
室
空
容
密
察
宾
宝
穷
宠
冥

偏旁部首：雨、⺌、人

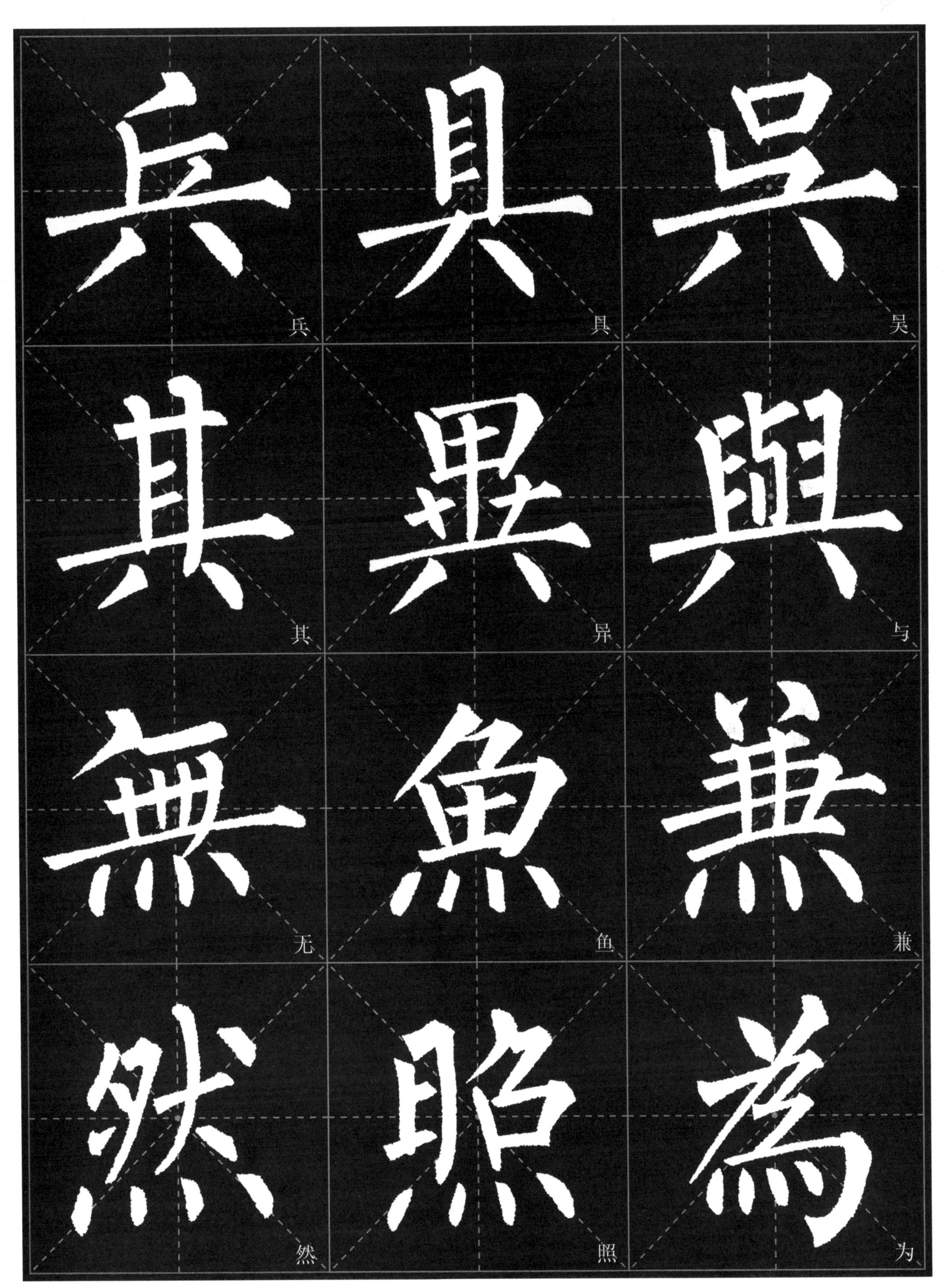
兵
具
吴
其
异
与
无
鱼
兼
然
照
为

偏旁部首：心

奇
帝
竟
益
盖
尽
集
梁
乐
真
贵
贾

偏旁部首：辶

偏旁部首：廴、走、匚、肖、几

偏旁部首：冂、门、口

床
序
度
座
唐
应
摩
尘
疮
原
厚
肩

崢
峥
嶸
嵘
輕
轻
駁
驳
孰
孰
航
航
就
就
殊
殊
彈
弹
致
致
靜
静
飾
饰

置
学
袋
梵
器
勇
众
圣
禁
契
尊
启

《玄秘塔碑》节选

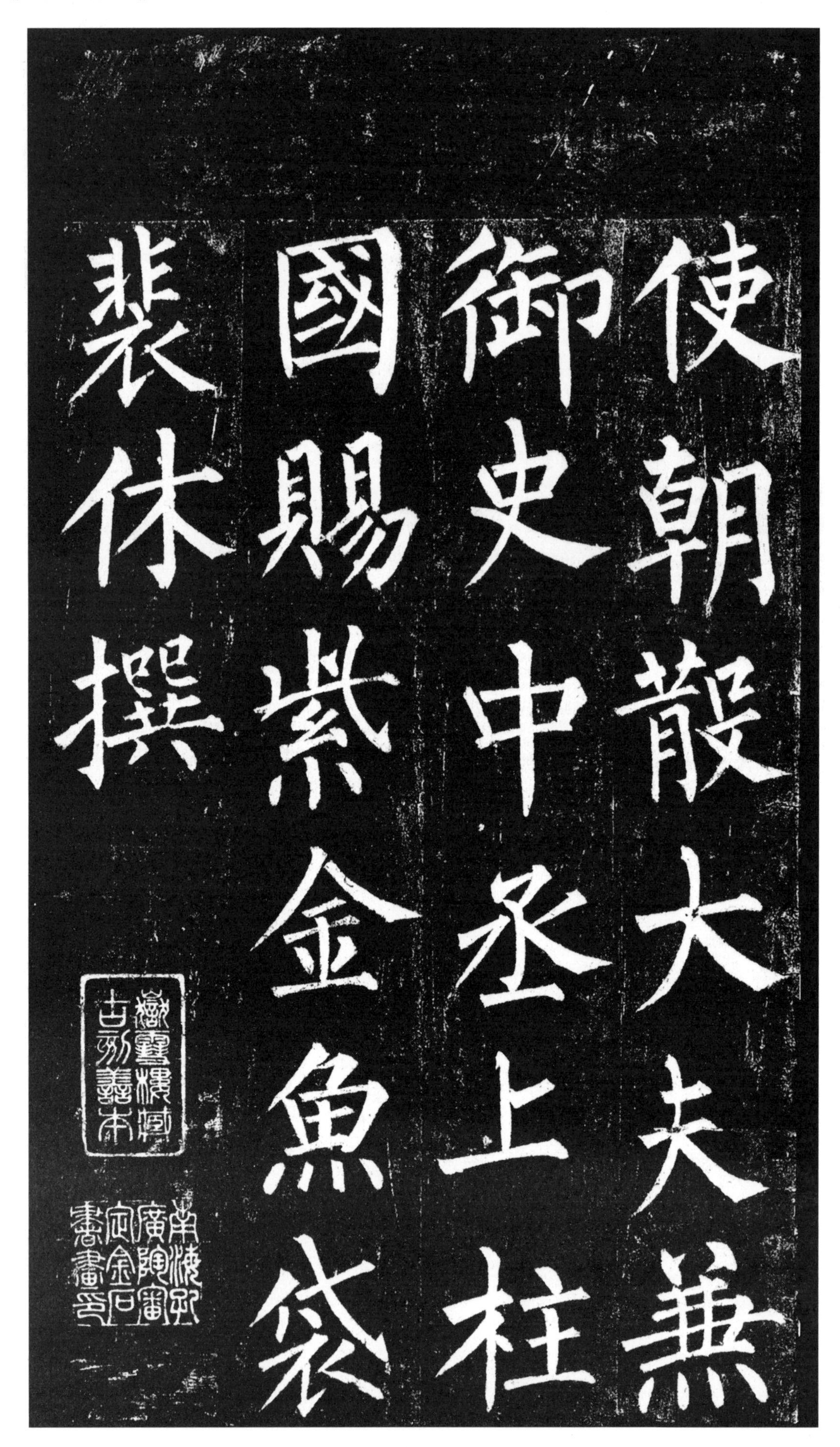

必當大弘法教言
說而滅既成人高
顏深目大顯方口
長六尺五寸其音

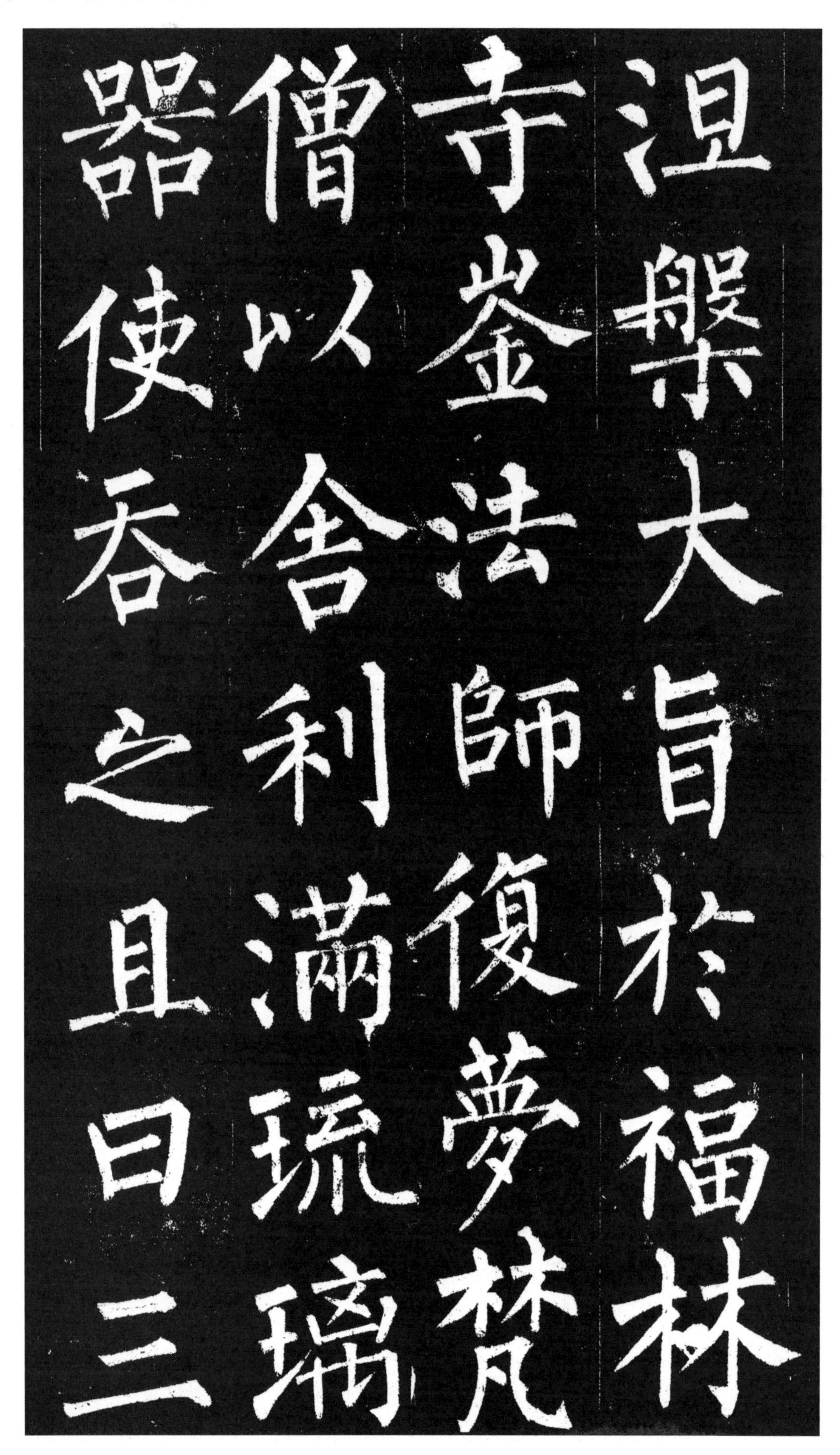
涅槃大旨於福林
寺崟法師復夢梵
僧以舍利滿琉璃
器使吞之且曰三

然莫能濟其畔岸矣夫將欲伐株杌於情田雨甘露於法種者固必有勇

之明效也夫將欲
顯大不思議之道
輔大有爲之君固
必有冥符玄契歟

有奖问卷

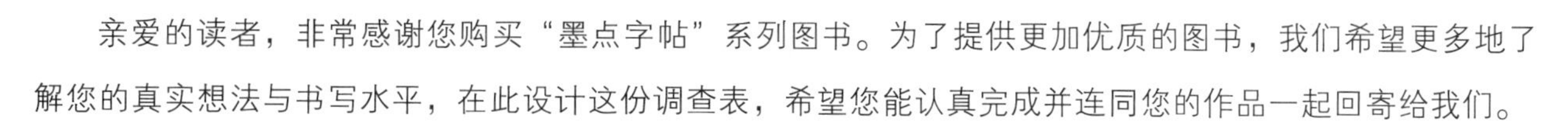

亲爱的读者，非常感谢您购买“墨点字帖”系列图书。为了提供更加优质的图书，我们希望更多地了解您的真实想法与书写水平，在此设计这份调查表，希望您能认真完成并连同您的作品一起回寄给我们。

前 100 名回复的读者，将有机会得到书法老师的点评，并在“墨点网站”上展示或获得温馨礼物一份。希望您能积极参与，早日练得一手好字！

1. 您会选择下列哪种类型的图书？（请排名）________________

   A. 原碑帖　B. 书法教程　C. 书法鉴赏知识　D. 书法作品　E. 书法字典

2. 在选择传统书法时，您更倾向于哪种书体？请列举具体名称。

   ____

3. 您希望购买的图书中有哪些内容？（可多选）

   A. 技法讲解　B. 章法讲解　C. 作品展示　D. 创作常识　E. 诗词鉴赏　F. 其他

4. 您选择图书时，更注重哪些方面的内容？（可多选）

   A. 实用性　B. 欣赏性　C. 实用和欣赏相结合　D. 出版社或作者的知名度　E. 其他

5. 您喜欢下列哪种练习方式？（可多选）

   A. 书中带透明纸　B. 放大临习本　C. 填廓描红　D. 多种练习方式相结合　E. 其他

6. 您购买此书的原因有哪些？（可多选）

   A. 装帧设计好　B. 内容编写好　C. 选字漂亮　D. 印刷清晰　E. 价格适中　F. 其他

7. 您每年大概投入多少金额来购买书法类图书？每年大概会购买几本？

   ____

8. 请评价一下此书的优缺点：

   ____

姓名：　　　　**E-mail：**

性别：　　　　**电　话：**

年龄：　　　　**地　址：**

回执地址：武汉市洪山区雄楚大街 268 号省出版文化城 C 座 603 室

收 信 人：墨点字帖毛笔编辑室　　　邮编：430070

天猫商城：http://whxxts.tmall.com

我的作品